LES MOTS
DES RICHES
LES MOTS
DES PAUVRES

Paru dans Le Livre de Poche :

ARITHMÉTIQUE APPLIQUÉE ET IMPERTINENTE

GRAMMAIRE FRANÇAISE ET IMPERTINENTE

IL A JAMAIS TUÉ PERSONNE, MON PAPA

JE VAIS T'APPRENDRE LA POLITESSE...

J'IRAI PAS EN ENFER

MOUCHONS NOS MORVEUX

LA PEINTURE À L'HUILE ET AU VINAIGRE

LE PENSE-BÊTES DE SAINT FRANÇOIS D'ASSISE

LE PETIT MEAULNES

ROULEZ JEUNESSE

SCIENCES NATURELLES ET IMPERTINENTES

JEAN-LOUIS FOURNIER

LES MOTS
DES RICHES
LES MOTS
DES PAUVRES

ILLUSTRÉ PAR JEAN MINERAUD

EDITIONS ANNE CARRIERE

ISBN : 978-2-253-09949-9 – 1re publication – LGF

Un jour, Dieu a dit :
« Je partage en deux :
les riches auront de la nourriture,
les pauvres auront de l'appétit. »
COLUCHE

Quelquefois, pour rigoler, Monsieur Riche imagine qu'il est pauvre. Tandis qu'il regarde monter au ciel les volutes de la fumée de son havane et que tintent les glaçons dans son pur malt, visiblement excité, comme un gosse qui dit des gros mots, Monsieur Riche répète les mots des pauvres : HLM, Smic, gamelle, pince à vélo, chômage… jusqu'à plus soif et qu'il roule sur la moquette, en hurlant de rire.

Quelquefois, Monsieur Pauvre se prend à rêver qu'il est riche. Il ferme les yeux et, religieusement, comme une prière, il répète les mots des riches : caviar, champagne, hôtel particulier, coffre-fort, Rolls Royce…

Ces mots lui montent à la tête, comme de l'opium, et l'envoient au ciel.

Mais rapidement, il est obligé d'arrêter.

Il faut qu'il descende la poubelle.

Monsieur Riche
adore les pronoms personnels
de la première personne.
Parce qu'il est la première personne.

Madame Ríche
aime le mode impératif.
Quand elle l'utilise, on lui répond :
« Oui, Madame »
et on s'incline respectueusement.

Monsieur Pauvre
vit dans le présent.
Parce que son futur est sombre.

Madame Pauvre
se demande pourquoi
on dit *pauvre con*, jamais *riche con*.

NOUVEAU-NÉ, EN PAUVRE, SE DIT NOUVEAU PAUVRE

Quand le nouveau-né de Monsieur et Madame Riche ouvre son œil bleu sur le monde, il rit.

Tout ce qu'il voit l'enchante.

Sur le mur laqué blanc de sa chambre, court une frise de délicates glycines; dans une cage à oiseaux, un rossignol automate bat des ailes, et une boîte à musique joue du Mozart. Le plus beau, c'est un visage qui se penche sur lui, le visage d'une jeune femme fraîche et douce, comme une madone de Raphaël, sa jolie maman, qui lui murmure: « As-tu bien dormi, petit Richard? »

Quand le nouveau-né de Monsieur et Madame Pauvre ouvre son œil chassieux sur le monde, il pleure.

Tout ce qu'il voit l'accable.

Le papier peint marron de la pièce avec d'horribles fleurs jaunes, le tube à néon qui bat, une télévision noir et blanc mal réglée qui braille. Le pire, c'est, au milieu des mouches vrombissantes, un visage qui se penche vers lui, le visage aux yeux usés d'une femme vieillie avant l'âge, sa mère, à bout de nerfs, qui lui hurle : « Ta gueule, Kévin. »

Kévin est né à Bobigny, Richard est né à Genève. Le père de Kévin est magasinier, le père de Richard est banquier.

Ils ne se rencontreront jamais.

Kévin n'ira jamais en vacances à Genève, ni Richard en vacances à Bobigny.

TAHITI, EN PAUVRE, SE DIT PALAVAS-LES-FLOTS

Même allongés sur le sable, à moitié nus devant la mer, Monsieur Riche et Monsieur Pauvre restent différents.

Monsieur Riche est mince et musclé. Monsieur Pauvre est flasque et mou.

Monsieur Riche a des jambes fines et nerveuses, comme celles d'un pur-sang. Monsieur Pauvre a des varices et des chaussettes en tire-bouchon.

Monsieur Riche porte un bermuda en lin, Monsieur Pauvre un short en soldes. Monsieur Pauvre a un tee-shirt sur lequel est écrit, en gros caractères, « University of Columbia ». Monsieur Riche a fait ses études au M.I.T. de Boston, mais ce n'est pas écrit sur son polo beige.

Au soleil, Monsieur Riche bronze, Monsieur Pauvre rougit.

Quand Monsieur Pauvre retire son tee-shirt, on voit sur son épaule, toute rouge, une grosse rose tatouée. Quand Monsieur Riche retire son polo, on voit un bronze de Praxitèle.

Sur la plage, Monsieur Pauvre dort la bouche ouverte, un journal sur la tête, à côté de son transistor mal réglé sur RMC et de sa glacière en polystyrène bleu Floride.

Assis sous un joli parasol de toile écru, Monsieur Riche scrute la mer avec des grosses jumelles noires.

Monsieur Pauvre boit une canette de bière pour faire passer le temps et les œufs durs remplis de sable. Il écoute la retransmission du match de football PSG-Lens, Lens perd trois à zéro, il est accablé.

Tandis que Monsieur Riche regarde son grand fils qui fait du ski nautique, Monsieur Pauvre regarde son grand fils qui fait le con. Madame Pauvre, dans sa marinière à fleurs, retourne une claque à la plus jeune qui s'est mise torse nu : « T'as pas fini de montrer tes titis ? »

Quand une mouette défèque en plein vol, ça ne tombe jamais sur Monsieur Riche, toujours sur Monsieur Pauvre. Ça fait rire Madame Pauvre, elle croit que ça porte bonheur.

Ça ne fait pas rire Monsieur Riche. Il ne le voit pas.

Monsieur Riche est à Tahiti, Monsieur Pauvre est à Palavas-les-Flots.

ESTOMAC DÉLICAT, EN PAUVRE, SE DIT GÉSIER

Une amie de Madame Riche prétend que les pauvres ne sont pas faits comme nous. Elle pense que leur organisme est plus rudimentaire et moins sophistiqué que celui des riches. Comme il est plus simple, il est plus résistant. Pour cette raison, on peut confier au pauvre les travaux les plus pénibles.

Elle pense que le pauvre est réduit au strict minimum. Il n'a ni rate, ni pancréas, ni vésicule biliaire, organes de luxe un peu superflus, dont il n'a pas l'usage. Il a seulement un foie et un estomac.

Elle sait qu'il a un foie parce qu'il a souvent la cirrhose du foie.

Au lieu d'avoir un estomac délicat, tapissé de fines membranes et irrigué de sucs gastriques, comme le sien, le pauvre a simplement un gésier, sorte de petit broyeur capable de digérer n'importe quoi, même des cailloux. La preuve, il mange n'importe quoi et n'en meurt pas.

Au lieu d'avoir deux intestins comme le riche, le pauvre n'en aurait qu'un, ni grêle ni gros, un moyen. Ce qui expliquerait que Madame Riche a des flatulences, tandis que Madame Pauvre pète.

Pour faire ses besoins, au lieu d'avoir comme le riche deux trous, l'un pour les liquides, l'autre pour les solides, elle pense que le pauvre n'en aurait qu'un, pour tout, comme les oiseaux.

Elle sait aussi que le pauvre a des poumons. Ils ne sont pas roses comme ceux des riches, ils sont noirs comme ses idées.

Dernièrement, elle a découvert que le pauvre a seulement une moelle épinière et pas de cerveau. Elle l'a confié récemment à Madame Riche:

« Sérieusement, croyez-vous que s'il avait un cerveau, il serait pauvre? »

QI, EN PAUVRE,
SE DIT RIQUIQUI

onsieur Pauvre n'a pas le moral. Il se dit que s'il est pauvre, c'est peut-être parce qu'il est bête.

Monsieur Pauvre pense qu'il a un tout petit QI. Il n'y a pas longtemps qu'il sait ce que ça veut dire, QI. Avant, il croyait que c'était un gros mot, à cause du Q.

Quand il était petit, on lui disait : « Tu ne feras jamais rien dans la vie, tu es trop bête. » Maintenant, il se demande si ce n'était pas vrai. Il n'a jamais rien fait dans la vie, il est pauvre, donc il est bête.

Parfois, Monsieur Pauvre se révolte. S'il est vraiment bête, c'est pas de sa faute. Il veut bien avouer qu'il est pauvre, mais reconnaître qu'il est bête, c'est trop dur.

Monsieur Riche sait qu'il a un très grand QI. Il se l'est fait mesurer récemment. Le docteur, qui veut se mettre bien avec lui, l'a félicité : « J'ai rarement vu un si grand QI. »

Pas étonnant, pense Monsieur Riche, si je suis plus riche que les autres, c'est que je suis plus intelligent que les autres.

De toute façon, si Monsieur Riche était bête, il ne le saurait pas.

Quand un pauvre est con, il le sait. Tout le monde le lui dit.

Quand un riche est con, il ne le sait pas.

Personne n'ose le lui dire.

PUBLICITÉ, EN PAUVRE,
SE DIT VERITÉ

Madame Pauvre croit tout ce qui est écrit sur les étiquettes.

Quand elle lit sur l'étiquette d'un bocal de jus de pamplemousse que les fruits gorgés de soleil sont délicatement pressés, Madame Pauvre le croit.

Elle imagine, dans un pays lointain, de jolies jeunes femmes en robe indienne, qui se promènent en chantant au milieu des pamplemoussiers. Elles se tiennent par la main, elles vont tâter les fruits : « Oh ! celui-là n'est pas suffisamment gorgé de soleil, nous allons attendre un peu », ou bien : « Celui-ci est gorgé de soleil, pressons-nous de le presser. » Elles ont à leur ceinture un petit presse-fruits en argent et, délicatement, elles pressent le fruit. Puis, elles vont verser le précieux jus dans de grandes jarres que des vieilles femmes aux cheveux blancs et au regard bienveillant rafraîchissent avec de l'eau de source.

Ça n'étonne pas trop Madame Pauvre qu'il soit si cher. Il faut bien les payer, toutes ces femmes.

Quand elle voit les paquets de biscuits, avec leur emballage à petits carreaux rouges, genre torchon à l'ancienne, et qu'elle lit que ces délicieux gâteaux pur beurre ont été confectionnés avec amour par une brave grand-mère selon une recette du terroir, elle a presque la larme à l'œil. Et elle achète très cher un paquet de biscuits à la mémoire de sa grand-mère.

Quand elle regarde les étiquettes, elle apprend que les vins sont fins, les vinaigres sont fins, les petits pois sont très fins. Les bières sont fines, les moutardes sont extra-fines. Toute l'épicerie est fine, très fine, extrafine. Elle découvre que tous les cassoulets ont mijoté dans des casseroles en cuivre, que tous les yaourts sont brassés par de courageux Bulgares, que toutes les charcuteries sont de terroir et faites artisanalement par des charcutiers joviaux et moustachus.

Quand elle voit tous ces artisans épanouis qui lui sourient sur les étiquettes, Madame Pauvre est émue. Elle aurait envie d'aller les embrasser. Elle pense à eux quand elle passe à la caisse.

Monsieur Riche se frotte les mains.

C'est grâce à des milliers de Madame Pauvre, comme elle, que Monsieur Riche va devenir Monsieur Encore-Plus-Riche.

HÔTEL PARTICULIER, EN PAUVRE, SE DIT F3

Madame Pauvre pousse consciencieusement sa wassingue sur les dalles blanches
à cabochons noirs du hall de Monsieur
et Madame Riche.

A lui seul, le hall d'entrée fait cinquante mètres carrés.
On pourrait y danser *Le Lac des cygnes.* C'est plus que
la surface du logement où Madame Pauvre vit avec son
mari et ses cinq enfants. Quand ils sont assis à sept dans
leur cuisine de neuf mètres carrés, autour de la table
familiale, il faut qu'ils apprennent à tenir le moins de
place possible. Les grands gestes sont interdits.

A force de se faire petits, les Pauvre se ratatinent.

A force de se plier, ils ne peuvent plus se déplier.

Quand Madame Riche les invite à s'asseoir dans son salon, ils n'osent pas s'enfoncer dans le grand fauteuil Louis-XIII. Ils restent au bord, recroquevillés, comme s'ils avaient peur de salir.

Dans leur salle à manger de soixante mètres carrés, Monsieur et Madame Riche ne manquent pas d'air. Ils font des grands gestes, ils ont le verbe haut et le coffre fort. Ils ouvrent bien grand leurs bras et leurs grandes ailes.

Dans leur petite chambre de sept mètres carrés, mansardée, Monsieur et Madame Pauvre doivent baisser la tête. La nuit, ils ne peuvent même plus faire des rêves de grandeur.

A force de ne plus les ouvrir, leurs ailes s'ankylosent, elles se grippent, elles restent collées à leur corps, elles se dessèchent.

Souvent, elles tombent.

Les pauvres ne peuvent plus voler.

Ils ne pourront jamais s'élever au-dessus de leur condition.

C'est mieux comme ça, a conclu Madame Riche.

Chacun à sa place.

MANQUE DE LIQUIDITÉ, EN PAUVRE, SE DIT J'AI FAIM

Madame Riche a longtemps cru que les pauvres étaient transparents. Chaque fois qu'un pauvre avançait vers elle la main tendue, il y avait, au même moment, une mouche qui s'envolait. Comme Madame Riche regardait la mouche, elle ne voyait pas le pauvre.

Madame Riche ne donne jamais d'argent aux mendiants, c'est chez elle un principe. D'abord, elle dit qu'on ne rend pas service aux pauvres en leur donnant de l'argent, au contraire, on les encourage à continuer à mendier et ils ne cherchent plus de travail.

Elle sait aussi que si elle donne de l'argent aux pauvres, ils vont aller le boire au bistrot.

Madame Riche pense que si les pauvres sont pauvres, c'est un peu de leur faute. Souvent, quand elle promène Richard par la main, elle s'arrête devant les mendiants et elle lui dit : « Regarde, mon chéri, ce que tu deviendras si tu ne travailles pas bien en classe. » Une fois, un mendiant mal élevé et un peu saoul lui a dit : « Ta gueule » et a commencé à baisser son pantalon. Madame Riche a déguerpi avec son petit Richard sous le bras.

De toute façon, Madame Riche, qui sait que l'argent ne fait pas le bonheur, ne donne rien. Question de principe.

Madame Pauvre, qui n'a pas de principes, donne souvent une petite pièce aux mendiants.

Certainement parce qu'elle réfléchit beaucoup moins que Madame Riche.

FAUCHON, EN PAUVRE, SE DIT ED

Madame Pauvre est arrivée en nage à la caisse. Son Caddie est lourd, en plus il a une roue voilée, il avance en crabe. Elle place sur le tapis roulant dix bouteilles de soda sucré pour les enfants, dix packs de bière pour son mari, et les boîtes de raviolis, de cassoulet et de choucroute, plus les boîtes de maquereaux au vin blanc et cinq pizzas surgelées. Madame Pauvre n'a pas beaucoup de temps pour faire la cuisine. Au rayon boucherie, elle a pris une barquette avec vingt côtes de porc et un kilo de pâté de campagne.

Elle a choisi le vin en promo, il s'appelle « Le vieux fagot ». Il a été élevé dans des caves séculaires et fait 12°5. Avec ses dix bouteilles, elle a eu une bouteille gratuite.

Pour leur anniversaire de mariage, elle a fait une petite folie. Elle a acheté, pour elle et son mari, du surimi goût crabe et une bouteille de mousseux, blanc de blanc. En sortant, elle achète *Mes plus beaux poèmes d'amour* en livre de poche.

Madame Riche virevolte au milieu des rayons avec son agenda électronique. Elle prend des jus de fruits fraîchement pressés. Elle choisit un petit gigot de pré-salé, des girolles, des magrets de canard, des figues fraîches, un pot de gelée de coing et un sorbet à la lavande.

Elle ajoute aussi des œufs de saumon et une bouteille d'aquavit.

Quand Madame Riche quitte le magasin, un vendeur l'accompagne pour porter ses paquets, et le patron lui demande des nouvelles de Richard, qui fait ses études à Boston.

Madame Pauvre regagne seule le parking avec son Caddie qui déborde et marche en crabe. Personne ne lui a demandé des nouvelles de ses enfants.

Madame Riche fait ses courses chez Fauchon, Madame Pauvre fait ses commissions chez Ed.

MON TRUC EN PLUMES, EN PAUVRE, SE DIT PLUMEAU

Madame Pauvre adore faire le bureau de Monsieur Riche.

Le bureau n'est pas très grand, les murs sont couverts de boiseries, les meubles sont en ronce de thuya.

Elle referme la porte sur elle. Elle se croit dans la cabine de première classe d'un paquebot de luxe.

Elle respire les parfums délicats qui flottent dans l'air. Le tabac blond de Virginie, le vieux whisky et la lavande de Monsieur Riche.

Elle époussette délicatement tout ce qu'il y a sur le bureau, sans rien déplacer. Discrète, elle ne regarde pas le courrier.

Elle astique la bibliothèque et retire la poussière sur la tranche des livres. Parfois, elle en feuillette un. Elle ne comprend pas toujours, ce sont souvent des livres en anglais. Madame Pauvre aurait bien aimé faire des études.

Grandeur nature dans son tableau, Monsieur Riche la regarde.

Puis elle promène son plumeau sur les coupes gagnées dans les tournois de tennis, de golf et les régates. Elle est émue devant la photo en noir et blanc d'un beau marin de vingt ans, torse nu sur le pont de son voilier.

Madame Pauvre garde le meilleur pour la fin. Elle aime bien passer son plumeau sur le portrait de Monsieur Riche. Elle fait la petite bébête qui monte qui monte… jusqu'au nez de Monsieur Riche. Elle caresse le secret espoir de le voir enfin sourire.

Monsieur Riche reste imperturbable.

CHIC, EN PAUVRE, SE DIT TOC

l est sain que le pauvre reste pauvre et que le riche reste riche, déclare Madame Riche. Chacun à sa place. Cela est dans la nature des choses.

Comme le riche qui devient pauvre, le pauvre qui devient riche n'est jamais pleinement satisfait.

Le pire, c'est le pauvre qui devient riche. Son comportement est souvent ignoble avec ses anciens comparses les pauvres. On l'appelle Monsieur Nouveau-Riche. Il conserve les bas instincts du pauvre et garde ses mauvaises habitudes. S'il vous invite chez lui, vous avez intérêt à dormir avec vos chaussures, il serait capable, pendant la nuit, de vous les piquer.

Le nouveau riche a le sentiment désagréable de ne pas se sentir à sa place. Il perd ses amis pauvres et ne se fait pas d'amis chez les riches.

Son organisme rudimentaire ne lui permet pas de goûter pleinement la subtilité des plaisirs que la richesse met désormais à sa portée. Au champagne, il préférera toujours le mousseux, aux asperges, les poireaux.

Quand il est invité chez les riches, les repas sont souvent des supplices. Il ne sait pas choisir parmi toutes les sortes de couverts disposés à côté de son assiette. Il se retrouve avec un couteau à pamplemousse pour couper sa viande.

Même bien habillé, Monsieur Nouveau-Riche n'est jamais élégant, il a l'air en dimanche. Il confond chic et toc.

Sa morphologie s'accommode mal des vêtements à la mode. Les vestes près du corps mettent en évidence son tour de taille, les cravates en soie étranglent son cou de taureau; dans ses escarpins trop étroits, ses gros pieds demandent grâce.

Sa peau épaisse et grumeleuse est insensible aux frous-frous et à la caresse de la soie. Sans vouloir le dire, il regrette les caleçons qui grattent.

Alors qu'il était un honnête joueur de belote, il se ridiculise en jouant au bridge.

Alors qu'il était habile à la pétanque, il est nul au golf.

Il a perdu son charme, il a perdu son identité.

On a perdu un pauvre, on n'a pas gagné un riche.

Monsieur Nouveau-Riche
place l'adverbe de quantité *sans* devant :
scrupule, remords, partage, état d'âme.

Madame Nouveau-Riche
ignore le pronom indéfini *autrui*.
Elle passe devant sans lui demander pardon.

NOUVEAU RICHE, EN PAUVRE, SE DIT FILS DE PAUVRE

L e nouveau riche est friand de l'adjectif qualificatif « nouveau », il adore tout ce qui est nouveau. A David Oïstrakh, il préfère André Rieux, à Jean-Sébastien Bach, il préfère Jean-Michel Jarre.

Monsieur et Madame Nouveau-Riche adorent les nouveaux amis, ils n'en ont pas d'anciens. Les nouveaux, c'est plus facile à épater.

Madame Nouveau-Riche adore les meubles d'époque, surtout quand ils sont neufs. Elle ne supporterait pas de s'asseoir sur une chaise ancienne. Elle pense avec horreur à tous les pauvres qui ont pu s'y poser.

Comme le beaujolais nouveau, le nouveau riche vieillit mal.

Madame Nouveau-Riche essaie de faire rentrer sa vieille peau dans la peau du pantalon moulant en agneau glacé qu'elle met pour faire jeune. Pour sa leçon d'équitation, elle enfile, avec peine, une culotte de cheval par-dessus sa culotte de cheval.

Malgré les liftages, les ponçages, les cirages, les bronzages, les maquillages et les teintures, Madame Nouveau-Riche vieillit. Elle ressemble de plus en plus à une momie. Elle devient méchante, comme la reine de Blanche-Neige, le jour où son miroir lui a dit: « Majesté, vous êtes belle, mais Blanche-Neige… »

Quand Madame Nouveau-Riche devient vieille, Monsieur Nouveau-Riche la jette et il épouse Blanche-Neige.

VILLA PROVENÇALE,
EN PAUVRE,
SE DIT CARAVANE

Monsieur et Madame Nouveau-Riche viennent de se faire construire une très belle villa provençale, en Picardie. Elle a une tour ronde comme les châteaux forts. Ses tuiles sont romaines, ses grilles en fer forgé espagnoles. Des balcons, des terrasses, des balustrades dégoulinent de partout.

Sur la grande terrasse, ils ont installé un barbecue Louis-XV en pierre de taille. Dans le jardin, il y a un bâtiment genre romain avec des colonnes. C'est là que Monsieur Nouveau-Riche a installé la piscine, le jacuzzi et le sauna. Sur le fronton, il a fait graver en caractères romains: « Les Termes » (*sic*).

La propriété est recouverte d'un crépi rose bonbon, toutes les grilles sont vert amande. Elle est belle comme une pièce montée. Certains disent qu'elle est tarte.

On la remarque de loin, au milieu des maisons en brique de la banlieue d'Amiens.

L'intérieur est à l'avenant. Dès qu'on franchit le seuil, on est transporté dans un palais. Dans le hall, une rangée de colonnes doriques dorées vous accueille et vous met dans l'ambiance. Madame Nouveau-Riche confie que les colonnes doriques sont en polystyrène, donc faciles à entretenir.

Les murs du salon sont tendus de peau de zèbre, enfin d'un tissu qui l'imite à merveille. Les meubles sont laqués blanc.

La salle à manger a été traitée Louis-XIII. On y mange le gigot assis sur des chaises en os de mouton et l'on y boit le champagne dans des gobelets d'étain, tout cela à la lumière des bougies avec, en fond sonore, pour faire époque, de la sacqueboute.

Madame Nouveau-Riche est particulièrement fière de son salon bibliothèque. Il est traité dans les camaïeux de mauve. Comble de raffinement, le décorateur lui a trouvé plusieurs mètres de *La Vie des empereurs romains*, reliés en cuir grenat, assortis aux rideaux parme.

La propriété est bien protégée. Elle a une porte blindée, des grilles aux fenêtres, une télésurveillance. Deux chiens policiers logent de chaque côté du porche monumental, dans leur niche provençale.

Monsieur et Madame Nouveau-Riche se méfient de tout, sauf du ridicule.

Un jour, c'est lui qui les tuera.

CHAMBRE D'AMIS,
EN PAUVRE, SE DIT
CANAPÉ CONVERTIBLE

Monsieur Pauvre a beaucoup d'amis, pauvres comme lui, mais pas de chambre d'amis. Quand ses amis restent dormir, on ouvre le canapé convertible.

Monsieur Nouveau-Riche n'a pas beaucoup d'amis, mais beaucoup de chambres d'amis.

Les chambres d'amis de Monsieur Nouveau-Riche sont somptueuses et souvent Louis-XV. Les meubles sont en bois de rose verni, les rideaux en satin crème, les lits à baldaquin. Un home cinéma est caché derrière un paravent chinois. La salle de bains attenante est en marbre couleur parme. La baignoire, équipée en balnéothérapie, a des pattes de griffon. Le lavabo est une coquille Saint-Jacques en pierre reconstituée, et les robinets sont dorés à la feuille.

Il paraît qu'on dort parfois très mal dans ces chambres. Certains invités passent leur nuit, calculette à la main, à chiffrer le prix de tout ce luxe. Le résultat est si exorbitant qu'après ils n'arrivent plus à dormir. Comme Louis XIV, qui a très mal dormi chez son ami Fouquet, dans son trop somptueux château.

Le lendemain, les invités sont de très méchante humeur. Ils décident souvent d'écourter leur séjour. Ils ne reviendront pas.

Madame Nouveau-Riche demande à Madame Pauvre de changer les draps, dans l'attente de nouveaux amis.

Chez Monsieur Pauvre, les amis ont peut-être mal aux reins quand ils se lèvent, mais ils ont tellement rigolé hier soir, ils reviendront.

92, EN PAUVRE,
SE DIT NEUF TROIS

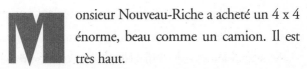onsieur Nouveau-Riche a acheté un 4 x 4 énorme, beau comme un camion. Il est très haut.

Monsieur Nouveau-Riche, qui n'est pas très haut, a de la peine à monter dedans. Mais quand il est installé au volant, il dépasse tout le monde, il devient grand. Il peut regarder les autres de haut.

Il y a plein de tuyaux chromés qui sortent de partout, comme les grandes orgues de Notre-Dame. Quand il démarre, c'est le grand jeu.

Monsieur Nouveau-Riche a six cylindres en ligne, une cylindrée de 2926 centimètres cubes, vingt-quatre soupapes et une puissance de 177 CV à 4000 tours minute.

Il faut bien ça pour tirer son scooter des mers avec lequel, chaque année, il va empêcher les crevettes de faire la sieste.

A l'intérieur, c'est plus calme. Une chaîne haute fidélité avec plein de watts et plein de haut-parleurs permet à Madame Nouveau-Riche d'écouter André Rieux, dont elle raffole.

Monsieur Nouveau-Riche l'a choisi noir métallisé avec intérieur cuir blanc, pour faire distingué.

Monsieur Nouveau-Riche est immatriculé 92.

Monsieur Pauvre est immatriculé neuf trois. La voiture de Monsieur Pauvre est vieille, elle fume. Le pare-brise est décoré avec les vignettes depuis 1980, en souvenir.

Monsieur Nouveau-Riche ignore Monsieur Pauvre. Il ne fréquente que des gens dont les voitures ont plus de dix chevaux et une cylindrée d'au moins 2 000 centimètres cubes.

Maintenant, avec son 4 x 4, Monsieur Nouveau-Riche peut écraser tout ce qui lui barre la route. Il ne craint plus personne, même pas les buffles : il a un pare-buffles.

Il est devenu le roi de la jungle.

SAFARI, EN PAUVRE, SE DIT CHASSE AUX MOUCHES

Les riches et les pauvres ont un bestiaire et un vocabulaire animalier différents. Monsieur Riche, qui va faire des safaris, est familier du crocodile et de la panthère. Monsieur Pauvre, qui reste chez lui, l'est plutôt du rat et de la mouche.

La mouche se sent mieux chez Monsieur Pauvre que chez Monsieur Riche.

Chez Monsieur Riche, elle est accueillie par des domestiques armés de bombes. Sur la table de Monsieur Riche, toujours astiquée, il n'y a rien à manger.

La mouche préfère la table de Monsieur Pauvre où il y a toujours de quoi manger et de quoi boire, des miettes, des taches de gras et des ronds de vin.

La mouche préfère le bébé de Madame Pauvre. Il sent plus mauvais que le bébé parfumé de Madame Riche.

Quand Monsieur Riche chasse le lion, Monsieur Pauvre chasse les mouches.

CACHEMIRE, EN PAUVRE, SE DIT ACRYLIQUE

La mite, qui est plus raffinée que la mouche, préfère les riches.

La mite est très maniaque pour son alimentation. Pour cette raison, elle ne va jamais manger chez les pauvres: pas question pour elle de se nourrir avec du synthétique ou de l'acrylique.

La mite ne supporte pas le chimique, elle ne veut pour elle et ses enfants que du naturel et du bio. La laine qu'elle mange doit être, comme son huile d'olive, vierge.

Elle passe de délicieux moments dans les commodes des riches. Elle se goinfre de poils de chameau, de Shetland, de Mérinos, de Cachemire, de Mohair, d'Alpaga, d'Angora.

Quand elle est repue, elle va faire la sieste sur les soies sauvages et les fines toiles de batiste des corsages de Madame Riche.

Quand Madame Riche découvre dans sa commode les dégâts, elle est très contrariée.

Elle remplit un carton avec les vêtements troués.

Elle les donnera à Madame Pauvre pour Noël.

CROCO, EN PAUVRE,
SE DIT SKAÏ

Monsieur Riche est un intime du crocodile. Il en a même un sur sa chemise. Il le tutoie et l'appelle familièrement « mon croco ». Il déclare qu'il l'adore, en mettant la main sur le cœur, près de son portefeuille en croco.

En réalité, son amour n'est pas profond, c'est un amour de surface. Ce qu'il y a en dessous de la peau, le cerveau, le cœur, la sensibilité, le reste de la bête, Monsieur Riche s'en fout.

S'il est très attaché au crocodile, c'est par sa ceinture.

Monsieur Pauvre, en revanche, a une réelle affection pour le crocodile ; il est toujours prêt à l'excuser, même quand il est méchant et qu'il mange des enfants, ça fait des bouches en moins à nourrir. Il le respecte trop pour l'appeler « mon croco », il l'appelle « Monsieur ».

Pas question pour Monsieur Pauvre d'utiliser sa peau. Pour ses godillots et ses ceintures, il se sert de plastique.

Imitation croco.

VISON, EN PAUVRE,
SE DIT RAT

Le vison a peur de Monsieur Riche et une véritable haine pour Madame Riche. Surtout quand elle le pend à un cintre.

En revanche, il ne craint pas le pauvre.

Quand Monsieur Pauvre croise un vison, il pense avoir affaire à un rat en manteau de fourrure, il le laisse passer. Le seul risque que court le vison, c'est de croiser un pauvre qui a faim, parce qu'un pauvre affamé est capable de tout, même de manger du vison en croyant que c'est du rat.

Quand Monsieur Pauvre mange du rat, il garde la peau. C'est pour ça que Madame Pauvre a parfois un cache-nez en peau de rat.

RAT GOURMET, EN PAUVRE, SE DIT RAT D'ÉGOUT

Les rats très intelligents préfèrent les poubelles des riches. Les rats moins intelligents préfèrent les poubelles des pauvres.

Les rats très intelligents s'arrangent pour visiter les poubelles des riches avant que les pauvres ne soient passés. Ils y trouvent de tout, des menus bien équilibrés et souvent bios. En plus, c'est très varié, ça change tous les jours. Un jour du gigot, le lendemain du filet de bœuf, le vendredi toujours des poissons fins et très frais, du turbot, de la lotte, du crabe, des légumes, des fruits. Au fond des bouteilles, il reste de très grands vins millésimés, et quelquefois, du champagne.

Les rats qui reviennent d'une virée dans la poubelle des riches sont un peu pompettes. Ils ne marchent plus droit, ils parlent très fort et rient à tout propos pour des bêtises.

Dans la poubelle des riches, il y a, en plus, de la littérature : des vieux *Télérama* qu'ils dévorent avant de s'endormir.

Quand les riches sont partis en vacances, les rats ont intérêt à ne pas être difficiles. Ils doivent se rabattre sur la poubelle des pauvres, qui ne vont pas en vacances. Il n'y a pas grand-chose à y manger parce que les pauvres finissent toujours leur assiette. En plus, ils risquent de se couper le museau en allant lécher les fonds des boîtes de conserves.

Au point de vue lecture, ce n'est pas mieux, ils n'arrivent pas à terminer les catalogues de *La Redoute*.

BRÛLE-PARFUM, EN PAUVRE, SE DIT BARBECUE

Un peu comme le gruyère par rapport au camembert, le riche est moins odorant que le pauvre. Peut-être parce que l'argent n'a pas d'odeur.

Madame Nouveau-Riche a une explication scientifique : elle prétend que les riches, qui ont un organisme plus sophistiqué, ont, à côté de leurs glandes sudoripares, un filtre qui désodorise leur sueur.

Les pauvres, qui ne sont pas faits comme nous, n'ont pas ce système et, évidemment, leur sueur sent mauvais.

Il faut aussi remarquer que les pauvres, à cause de leur activité professionnelle, ont plus l'occasion de se faire suer.

Monsieur Pauvre, qui est manœuvre et transporte des brouettes de ciment au bord d'une route, en plein soleil, sue plus que Monsieur Riche, qui est P.-D.G. et signe des notes dans son grand bureau climatisé.

Les riches et les pauvres n'ont pas les mêmes parfums.

Madame Riche est plutôt Chanel, Madame Pauvre plutôt Soir de Paris de Bourjois.

L'été, les roses du jardin de Monsieur Riche sentent la rose. Les roses de Monsieur Pauvre sentent la merguez ou la sardine.

Madame Riche, qui passe chaque jour une bonne heure et demie dans sa salle de bains, pense que les pauvres ne se lavent pas régulièrement. Il paraît même que certains n'ont pas de salle de bains.

Madame Riche ne prend jamais le métro, à cause de l'odeur.

Elle ne voit qu'une solution pour rendre l'air respirable : désodoriser les pauvres.

PREMIÈRE CLASSE,
EN PAUVRE,
SE DIT SECONDE

adame Riche ne voyage qu'en première classe, elle n'aime pas la promiscuité, ni ses semblables qui sont en seconde.

Elle supporte mal de traverser les voitures de seconde parce qu'il faut enjamber des pauvres, déchaussés, qui ronflent la bouche ouverte.

Les sièges de première classe sont très larges, on pourrait y asseoir deux Madame Riche. Les sièges de seconde sont plus étroits, on ne peut y asseoir qu'une demie Madame Pauvre, l'autre moitié déborde sur le couloir.

Les sièges de première classe sont recouverts de fin velours gris très chic. Les sièges de seconde sont recouverts d'un tissu avec des couleurs voyantes, comme le canapé

du living de Madame Pauvre. La SNCF doit penser que les pauvres se sentent moins dépaysés dans les endroits qui rappellent leur « chez eux ».

Dans les voitures de première, il n'y a pas de bruit, on a l'impression que le train glisse sur des pneus. Les gens des premières classes sont des gens bien élevés. Quand ils ont quelque chose à dire, ils chuchotent.

Dans les premières classes, les gens se déplacent peu, ils vont rarement aux toilettes. Quand ils y vont, c'est pour se laver les mains. Ils préfèrent s'instruire, plongés dans des gros livres sur lesquels ils s'endorment.

Dans les premières classes, l'ambiance est plus fraîche, il y a moins de chaleur humaine que dans les secondes. Peut-être à cause de la climatisation.

Dans les voitures de seconde, il y a beaucoup d'ambiance et beaucoup d'enfants. Les gens parlent et téléphonent fort, les enfants pauvres braillent parce qu'ils ont faim, les mères pauvres, excédées, les giflent, et les enfants pleurent encore plus fort. Quand on lit, on lit des bandes dessinées ou ce qui est écrit sur le paquet de biscuits. Dans le train, les pauvres n'arrêtent pas de manger.

Les pauvres circulent sans arrêt dans le couloir du train. Ils vont souvent aux toilettes.

Ça les occupe.

Et peut-être, comme dit Madame Riche, qu'ils ne savent pas se retenir.

SE RASER,
EN PAUVRE, SE DIT
GRATTER LE COCHON

Dans le miroir vénitien de sa salle de bains, Monsieur Riche se regarde avec sympathie. Il est satisfait.

Il a bientôt soixante ans, il porte encore beau.

Son crâne a été récemment reboisé, avec des implants artistiquement posés. Un balayage subtil éclaire, au milieu des cheveux châtains, quelques mèches argentées. Son teint bronzé fait ressortir ses yeux et sa chemise, bleu ciel. Le regard est vif sous les sourcils broussailleux.

Il est encore mince et musclé. Il fait de la gymnastique tous les jours, va à la piscine deux fois par semaine. Il a arrêté de fumer il y a dix ans, il ne boit de l'alcool que le week-end, et seulement du champagne.

Quand il a terminé sa toilette, il s'adresse un sourire reconnaissant. Ses dents sont longues et incisives.

En maillot de corps, Monsieur Pauvre gratte le cochon au-dessus de l'évier de la cuisine. Sa main qui tient le rasoir tremble à cause des petits coups qu'il boit trop souvent. Quelquefois, il se coupe en se rasant, alors il dit merde.

Il se regarde dans la petite glace posée de travers sur les robinets.

Monsieur Pauvre n'aime pas trop se voir dans la glace. Il n'aime pas son long visage pâle au regard triste. Il se trouve moche.

Ses cheveux sont gris, pas gris argent.

Ses dents, sa peau, ses doigts sont jaunes, pas jaune d'or.

Il tousse, il crache dans l'évier à cause des gauloises. Il y en a déjà une qui fume sur le rebord de l'évier.

Quand il a terminé sa toilette, Monsieur Pauvre se caresse la couenne, et il pète tristement.

CHEVELURE BRILLANTE, EN PAUVRE, SE DIT TIGNASSE LUISANTE

Monsieur Pauvre, qui se plaint toujours et aime jouer les mal-aimés, est un peu injuste. Il oublie vite qu'il est le préféré des puces, des poux et des cancrelats.

Monsieur Riche ne connaîtra jamais la délicieuse sensation des petites pattes qui viennent chatouiller délicatement le cuir chevelu, ni les démangeaisons des poux qui vous rappellent que vous n'êtes pas seul au monde. Pourtant, il ne se plaint pas.

Les poux ne vont jamais se promener sur les crânes des riches, ils s'y ennuient. C'est trop bien entretenu, comme des jardins à la française. Les allées sont droites, bien ratissées ; les pelouses taillées en brosse, interdites au public.

Les poux préfèrent le côté hirsute et sauvage de la tignasse des pauvres, les taillis, les ronces, dans lesquels ils peuvent jouer à cache-cache.

Cette végétation a de fortes senteurs, elle sent le gibier.

Et surtout, dans les cheveux des pauvres, il y a des pellicules qui font comme de la neige et sur lesquelles les poux peuvent faire des glissades et de la luge.

MAIN FINE, EN PAUVRE, SE DIT GROSSE PINCE

Ses mains sont en peau très fine, presque transparente.

Les doigts sont longs, les ongles roses et carrés, coupés court. À son annulaire, une chevalière en or, avec ses armes, brille.

Ému, Monsieur Riche admire ses mains.

Il pense à toutes les mains célèbres qu'elles ont serrées. Il pense à tous les chevaux, les chiens, les jolies femmes qu'elles ont caressés. Il pense à tous les contrats qu'elles ont signés, aux liasses de billets de banque qu'elles ont palpées.

La main de Monsieur Pauvre n'est pas taillée dans la même peau. Elle est épaisse et grumeleuse, comme les gros cuirs de mauvaise qualité. Quand Monsieur Riche doit serrer la main de Monsieur Pauvre, il a toujours l'impression que Monsieur Pauvre a gardé ses gants de chantier.

Monsieur Pauvre a des doigts épais et courts, avec des ongles noirs. Il n'a que neuf doigts, il en a perdu un, le petit, écrasé par un parpaing.

Il supporte ça très bien, il trouvait qu'il avait trop de doigts.

Monsieur Pauvre s'est toujours demandé pourquoi il avait dix doigts. Petit déjà, il ne savait rien faire de ses dix doigts. Pour charger et décharger des brouettes de ciment et de parpaings, deux doigts à chaque main, comme des pinces, suffiraient largement.

Son petit doigt, il n'a jamais compris à quoi il servait, il ne boit jamais de thé et ne joue pas de piano.

Le seul inconvénient, c'est au café, avec ses copains, quand il veut commander dix pastis en levant ses deux mains ouvertes.

Il est obligé de le faire en deux fois.

SOULIERS VERNIS,
EN PAUVRE,
SE DIT GODASSES

L e pauvre n'est pas verni, ses pompes non plus. Les chaussures du pauvre n'ont pas la vie belle, elles sont toujours sur la brèche. Elles font les trois-huit, sans jamais un jour de congé. Elles sortent par tous les temps, elles n'ont jamais de repos, même pas la nuit, parce que souvent le pauvre dort avec ses chaussures qu'il a peur de se faire voler. Elles sont mal nourries, mal entretenues, on ne les fait jamais briller.

Le riche est verni, ses souliers aussi.

Les chaussures du riche ont plus de chance. D'abord, elles ont beaucoup de temps libre, elles ne travaillent pas tous les jours. Le riche a un nombre impressionnant de chaussures, il en change tous les matins, ce qui fait à chacune de nombreux jours de congé. Leurs conditions de travail sont très agréables, elle glissent sur des parquets cirés ou elles s'enfoncent dans des moquettes épaisses. Les vernies sont les plus vernies: elles ne travaillent que le soir, elles dansent et boivent du champagne. Elles ne travaillent jamais le lendemain et peuvent faire la grasse matinée. On les nourrit généreusement avec des crèmes à la cire d'abeille.

La seule ombre au tableau, c'est la fin de leur vie.

Alors qu'elles pourraient profiter d'une retraite heureuse, il leur arrive le pire: on les donne aux pauvres.

Elles se font enfiler par des pieds à la propreté souvent douteuse. Elles sont vite éculées.

Elles meurent très rapidement, de honte.

PIEDS NUS, EN PAUVRE,
SE DIT VA-NU-PIEDS

O n est dimanche. Monsieur Pauvre est assis sur une chaise au milieu de la cuisine, en maillot de corps, le pantalon retroussé jusqu'aux genoux. Penché sur l'eau grise d'une cuvette en zinc, il regarde ses pieds.

Monsieur Riche sort de sa cabine de balnéothérapie, en peignoir blanc. Il s'assoit sur un tabouret en acier brossé, se penche et regarde ses pieds avec affection.

Monsieur Pauvre sort ses pieds de la cuvette, les égoutte, puis il les essuie avec un torchon, comme on essuie des pommes de terre.

Ses pieds ne sont pas très beaux, on dirait des topinambours. Ils sont couverts de protubérances, des oignons,

des cors, des durillons, même un œil-de-perdrix qui le nargue. Il les cache vite dans ses charentaises.

Tout cela à cause des mauvaises chaussures qu'il a eues quand il était gosse. Ses parents n'avaient pas d'argent pour lui en acheter des neuves. Il a dû marcher avec celles de son grand frère. Et surtout, il s'est fait marcher sur les pieds trop longtemps.

Monsieur Riche caresse ses jolis pieds de pianiste, il pianote avec ses orteils, les met en éventail. Il revoit ses petits petons que sa jolie maman embrassait et voulait croquer. Cinquante ans après, ils sont encore appétissants.

Monsieur Riche les lave tous les jours, puis il les masse avec une crème adoucissante aux algues marines. Il les regarde avec reconnaissance et il leur parle. Il les félicite pour tout le chemin parcouru. Il pense à tous ceux qu'ils ont piétinés, à tous les coups de pied au cul qu'ils ont donnés et qui lui permettent d'être à la place qu'il occupe maintenant.

Il leur choisit avec amour des chaussettes, des fines en fil d'Écosse pour l'été, d'autres en pure laine vierge pour l'hiver. Monsieur Pauvre change rarement de chaussettes, il attend qu'elles tiennent debout.

Monsieur Pauvre ne s'occupe pas beaucoup de ses pieds, il les lave seulement le dimanche. Il ne leur parle jamais.

Monsieur Riche n'a qu'un seul souci avec ses pieds, c'est au niveau des chevilles.

Depuis qu'il est coté en Bourse, il a les chevilles qui enflent.

MAMAN PLUME, EN PAUVRE, SE DIT MAMAN PLOMB

S i elles faisaient de la balançoire ensemble, Madame Riche serait toujours en haut, Madame Pauvre toujours en bas.

Madame Pauvre pèse à peu près deux Madame Riche. Maman Riche pèse 50 kg de plumes, Maman Pauvre pèse 80 kg de plomb et sa Mobylette peine.

Maman Riche ne fait pas son âge, Maman Pauvre non plus, elle fait plus.

Maman Riche a un joli corps musclé et nerveux, moulé dans des petits tailleurs Chanel. Maman Pauvre déborde de partout, de sa blouse à fleurs et de ses pantoufles. Elle a de la mauvaise graisse. Maman Pauvre se nourrit mal. Elle ne mange que des nouilles, des frites, du riz et se bourre de gâteaux toute la journée. Maman Riche lui dit qu'elle n'est pas raisonnable, elle devrait manger des légumes frais, du poisson grillé. Maman Pauvre répond que quand elle a mangé des légumes et du poisson, elle a encore faim, et qu'elle se rattrape sur les gâteaux. Elle n'ose pas avouer que, pour elle, les légumes frais et le poisson, c'est trop cher.

Quand elle était jeune et qu'elle travaillait à l'usine, elle était très jolie, Mademoiselle Pauvre, et très mince. Les contremaîtres lui faisaient des clins d'œil.

Maman Riche, c'est le contraire. Avant, elle était moche, mais grâce aux esthéticiennes, aux produits de beauté, aux grands coiffeurs, aux beaux vêtements, à la diététique, elle est devenue presque belle et son fils Richard est fier d'elle.

A la maison, Kévin, le fils de Maman Pauvre, cache les gâteaux.

Il n'a pas envie que ses copains disent que sa mère est une grosse vache.

CAHIERS DU CINÉMA, EN PAUVRE, SE DIT TÉLÉ Z

Ce soir, chez Monsieur et Madame Pauvre, c'est soirée télévision. Hier aussi, c'était soirée télévision. Demain, ce sera encore soirée télévision.

Chez Monsieur et Madame Pauvre, c'est soirée télévision tous les soirs. Avec la reproduction, la télévision est leur seule distraction. Maintenant qu'ils ont cinq enfants, Madame Pauvre freine un peu sur la reproduction.

Chez Monsieur et Madame Pauvre, la télévision est allumée toute la journée, ça fait une compagnie. Monsieur Pauvre dit que s'il paie la redevance, ce n'est pas pour des prunes.

Tous les soirs, Monsieur Pauvre s'installe dans le grand fauteuil en skaï avec une petite table à côté où il met son cendrier et ses canettes de bière. Monsieur Pauvre aime la télévision, elle le rassure : même quand on est con, on peut gagner des millions. Madame Pauvre s'assoit un peu derrière, avec son paquet de biscuits sur les genoux et une chaise pour poser ses jambes. Elle n'a pas une bonne circulation et elle a peur d'avoir des varices. Les enfants sont vautrés sur le canapé avec le chien qui ronfle.

Il y a cent ans, leurs ancêtres étaient devant la cheminée et regardaient le feu. L'avantage de la télévision, c'est qu'elle ne fait pas de cendres et que le matin, on n'est pas obligé de la vider. Si elle laisse des saletés, c'est seulement à l'intérieur de la tête de ceux qui la regardent.

Ce soir, à la télévision, c'est soirée caritative. Madame Pauvre aime bien tous ces jolis jeunes gens en smoking et ces jolies jeunes filles en robe longue, pas fiers du tout, qui demandent de l'argent pour des gens malheureux ou malades. Madame Pauvre est souvent émue à la télévision. Elle se cache derrière son mouchoir pour pleurer.

Madame Pauvre croit tout ce qu'on dit dans le poste. Elle croit que le présentateur qui lui fait les yeux doux l'aime beaucoup. Elle ne sait pas que les animateurs de la télévision sont choisis justement pour leur talent à bien savoir faire semblant.

A la fin de l'émission, Madame Pauvre a téléphoné pour donner de l'argent.

Ce soir, Monsieur et Madame Riche étaient invités par le Rotary club à la projection en avant-première d'un film iranien sur la famine. Madame Riche a beaucoup pleuré, Monsieur Riche a beaucoup dormi.

A force d'entendre parler de faim, ça leur a donné faim.

Au retour, ils ont fait un petit dîner avec du foie gras et une demi-bouteille de champagne.

FOIE GRAS, EN PAUVRE,
SE DIT PÂTÉ DE FOIE

Qu'est-ce qui ferait plaisir à Madame?

Ce qui ferait plaisir à Madame Pauvre, c'est des bouchées à la reine avec plein de crème.

Ce qui ferait plaisir à Madame Riche, c'est une petite salade de mesclun avec des copeaux de parmesan.

Qu'est-ce qui ferait plaisir à Monsieur Riche?

Rien. Il a eu plusieurs repas d'affaires cette semaine. Il accepte du bout du bec une petite salade avec une effilochée de homard. A condition que le homard soit breton.

Madame Pauvre a apprécié, elle a saucé consciencieusement. Son assiette est bien nettoyée, comme si elle n'avait pas servi.

Madame Riche a chipoté dans son assiette, elle en a laissé la moitié.

Pour suivre, Madame Pauvre prend un émincé de volaille à la normande, avec des pleurotes.

Après la terrine du chef, Monsieur Pauvre a pris un steak au poivre, flambé au whisky et garni de frites à volonté. Quand on a flambé le steak tout près d'elle, Madame Pauvre a eu un peu peur et chaud aux plumes. Surtout quand une grande flamme rouge est venue lécher les poutres apparentes, en polystyrène, du plafond.

Madame Riche a choisi un filet grillé de bar à la badiane, avec un doigt de Meursault.

Pour terminer sur du léger, Madame Pauvre hésite entre les crêpes flambées et les profiteroles. Par peur des flammes, elle choisit les profiteroles.

Madame Riche se laisse tenter par un sorbet à la mangue.

Monsieur Pauvre, qui a bu beaucoup de vin, dit des bêtises. Madame Pauvre rit de bon cœur.

Madame Pauvre, qui n'a pas l'habitude de boire du vin, a bu un verre de blanc et deux verres de rouge. Elle se sent bien, elle a le teint fleuri, assorti aux pivoines de sa robe.

Monsieur et Madame Riche partent tôt, demain matin ils jouent au golf.

Monsieur et Madame Pauvre ne sont pas pressés. Ils ne jouent pas au golf demain matin.

Madame Pauvre a tout son temps.

Ses pieds ont gonflé.

Elle n'arrive pas à renfiler, sous la table, les souliers neufs qu'elle a retirés en douce durant le repas.

GRAND CRU, EN PAUVRE, SE DIT GROS ROUGE

Monsieur Riche lève son verre, c'est l'élévation. Il le fait tourner dans la lumière, il dit: « La robe est belle » et il boit.

Quand Monsieur Riche boit un verre de vin, tout le monde se tait et attend. Après avoir reposé son verre, dans un silence religieux, Monsieur Riche prononce alors des mots et des phrases étranges: « Boisé… Astringent… Une belle finale vanillée… Souple et rond… Pourpre gras de bel effet… De belles jambes dans les verres… Le nez est très végétal… Une attaque pleine qui promet… Un nez de paille… D'où vient cet arôme de musc? »

Personne ne rigole.

Toute l'assistance reste un moment silencieuse et inquiète, comme après la lecture d'un poème de Mallarmé. Quand on n'a rien compris.

Quand Monsieur Pauvre a sifflé son verre de vin, il s'essuie la bouche d'un revers de main et il dit simplement à René : « La même chose, René », et René lui sert la même chose.

Monsieur Pauvre boit pour oublier, oublier qu'il est pauvre. Il cherche, au fond du verre, l'infini.

Monsieur Riche, l'infini, il ne connaît pas.

Il préfère le fini.

POULET DE BRESSE,
EN PAUVRE, SE DIT
POULET AUX HORMONES

Le poulet des riches chante au lever du jour. Tous les matins, une brave fermière l'appelle : « Petit, petit, petit… » en lui tendant une main pleine de grain.

Il fait de la gymnastique, il est musclé.

Il est heureux.

Le poulet des pauvres ne chante pas au lever du jour. Il n'a pas de raisons de chanter, il ne voit jamais le jour se lever.

Il est parqué dans un énorme poulailler sans air, avec des milliers d'autres malheureux.

Il n'a aucune intimité. Pas moyen de s'isoler, même pas un petit coin toilette.

Pas une lampe de chevet qu'on peut éteindre pour dormir, seulement des gros projecteurs au plafond, allumés jour et nuit.

Pas de fenêtre, il ne voit jamais le jour.

La campagne, il ne sait même pas ce que c'est. Il ne connaît même pas sa mère. Il est arrivé en œuf et en camion avec des milliers d'autres. On ne lui parle jamais, on ne lui a jamais dit : « Petit, petit, petit… »

Parfois, il regarde ses pattes tristement. Elles ne servent à rien, il ne peut pas se déplacer, il y a trop de monde. Il regarde ses ailes, elles ne serviront jamais, il n'y a plus de ciel.

Il était pourtant bâti pour courir, dénicher des vers de terre avec son bec, voleter.

Quel gâchis.

Et le pire, c'est qu'il sait qu'un jour, ça va se terminer mal. Un aspirateur à poulets va l'expédier dans l'au-delà, il ne sait pas quand.

Il attend, anxieux, sa fin du monde.

Il se souvient encore de l'impatience avec laquelle il a cassé la coquille. S'il avait su, il ne serait pas venu. Il ne serait jamais sorti de l'œuf.

Il regrette de ne pas être né dans la Bresse.

Il a envie de se venger.

Il n'a trouvé qu'un moyen : il est dégueulasse à bouffer.

Demandez aux pauvres.

REINE DE FRANCE, EN PAUVRE, SE DIT REINE D'UN JOUR

L'autobus est parti de Nœux-les-Mines à six heures du matin. Ils se sont arrêtés seulement un quart d'heure sur une aire de l'autoroute, pour le petit déjeuner. Le café était offert. Prévoyante, Madame Pauvre avait emporté un sandwich au pâté.

L'autobus a mis quatre heures pour arriver à Chambord.

Madame Pauvre n'oubliera jamais la première fois où elle a vu le château. Il y avait du soleil, mais encore un peu de brume sur le parc, elle a même vu une biche.

C'était beau comme un tableau.

Un guide les attendait, la visite a commencé tout de suite.

Elle qui aime bien les beaux intérieurs, elle est servie, c'est encore plus beau que chez Madame Riche.

Tout est doré.

Les fauteuils, les murs sont couverts de tapisseries avec des fleurs et des oiseaux. Il y a des grands miroirs qui multiplient les lustres en cristal par dix.

Elle aimerait bien être femme de ménage ici, tous les jours frotter sa tête de loup sur toutes ces belles choses.

La chambre de la reine est une splendeur. Les rideaux sont en soie crème avec des bouquets de roses. Malgré le petit panneau : « Ne pas toucher », Madame Pauvre ne peut s'empêcher, elle touche. L'air de rien, sans regarder, elle enfouit sa main dans le rideau du baldaquin, elle le caresse longuement en fermant les yeux. Avec regret, elle retire sa main. Personne ne l'a vue.

Ils traversent ensuite la grande galerie. Madame Pauvre passe respectueusement devant les portraits de la famille royale. Ils ont l'air sérieux, la reine la regarde sévèrement.

Dans sa tête, une terrible et folle pensée se dresse, menaçante. Madame Pauvre pense au rideau de la chambre.

Elle voit, sur fond ivoire, au milieu des bouquets de roses, plus gros qu'une rose, une énorme tache de gras.

Le gras du sandwich au pâté.

BEAU, EN PAUVRE,
SE DIT NE PAS TOUCHER

Quand il a tout, en double, en triple : maison, voiture, femme, qu'il est devenu très riche et qu'il ne sait plus quoi faire de son argent, Monsieur Nouveau-Riche devient amateur d'art et achète des tableaux.

Monsieur Nouveau-Riche croit que tout ce qui est cher est beau. Il achète tout cher et pense qu'il a tout beau. Parce que le beau, Monsieur Nouveau-Riche ne comprend pas bien ce que c'est, il ne sait pas que c'est un mystère et que les mystères, il ne faut pas chercher à les comprendre.

Devant un tableau, il sort de son étui en croco tous ses adjectifs qualificatifs qu'il a rangés par ordre alphabétique: admirable, bouleversant, exquis, grandiose, magnifique, sublime…

Monsieur Pauvre n'a qu'un mot pour dire quand c'est beau, il dit: « C'est beau. » Quelquefois, quand c'est trop beau, il n'a pas de mot. Devant un coucher de soleil au Tréport, il se tait.

Si Monsieur Nouveau-Riche est ému devant certains tableaux, ce n'est pas toujours à cause de la peinture; ce qui l'émeut, c'est la petite étiquette collée derrière le tableau, là où l'on écrit le prix. Il calcule combien il va pouvoir le revendre. Les marchands de tableaux l'ont repéré. Très souvent, ils ne lui montrent que le dos du tableau.

Quand Monsieur Nouveau-Riche a acheté une toile, il met autour un gros cadre doré à l'or fin. Ce n'est pas tout d'être riche, l'important c'est que cela se voit.

Monsieur Nouveau-Riche met des cadres dorés même autour des toiles qui représentent des pauvres. Comme ça, on voit moins les pauvres.

Les pauvres, il ne peut pas les voir en peinture.

STEINWAY, EN PAUVRE, SE DIT PIANO À BRETELLES

Le demi-queue s'ennuie chez Monsieur et Madame Nouveau-Riche.

Personne ne vient jamais le caresser, il sent bien qu'on ne l'aime pas. Comme on ne touche jamais ses touches, il s'ankylose, il attrape des crampes.

Il se souvient avec émotion du pianiste qui a dû le vendre parce qu'il était pauvre. Ses doigts couraient le long de son clavier comme les mains d'un kiné sur une colonne vertébrale et lui donnaient des frissons. Il n'a rien oublié, les caresses de Debussy, les coups de boutoir de Beethoven, les divines agaceries de Mozart, les galops impétueux de Liszt. Récemment, Monsieur Nouveau-Riche a voulu le vendre, parce qu'il ne sert à rien.

Personne dans la famille n'en joue. Madame Nouveau-Riche a refusé. Elle a simplement dit: « Mais où va-t-on mettre les glaïeuls? »

Avec son vernis noir et ses glaïeuls sur le ventre, il ressemble à une tombe. Il est muet comme une tombe.

Il est prêt à tout pour partir. Il donnerait sa queue pour être piano droit dans un bar. Il mettrait des bretelles pour aller vivre chez les pauvres.

Mais il est assigné à résidence, il est un piano alibi. Il est là pour prouver que Monsieur et Madame Nouveau-Riche sont des gens raffinés qui adorent la musique.

Son copain l'accordéon a une vie bien plus drôle.

Il loge dans un campement de gitans. Chaque soir, quand les gitans rentrent, on fait cuire les poules qu'ils ont volées, et puis c'est la fête. Il n'a pas le confort, il fait froid dehors, mais on rigole autour du feu. Il y en a toujours un pour le chatouiller et lui aérer les soufflets. Et il accompagne, jusqu'au matin, un guitariste cousin de Django.

FESTIVAL DE BAYREUTH, EN PAUVRE, SE DIT FÊTE DE LA BIÈRE

Chaque année, Monsieur et Madame Nouveau-Riche s'offrent un petit voyage culturel à l'étranger.

Cette année, ils ont choisi l'Allemagne.

Leur agence de voyage a fait deux propositions : la fête de la Bière à Munich, ou le festival de Bayreuth.

Monsieur Nouveau-Riche préfère Munich. Malgré sa fortune, il est resté un être fruste. Wagner, ce n'est pas sa tasse de thé. Il préfère la bière.

Madame Nouveau-Riche aussi adore la bière. Mais, plus fine, elle pense que pour leur image, il serait préférable de choisir Bayreuth. Madame Pauvre, sa femme de ménage, lui a appris qu'elle était allée à la fête de la

Bière pour son voyage de noces. Cette information a été déterminante.

En cachette de son mari, Madame Nouveau-Riche les a inscrits pour le festival de Bayreuth.

Quand il l'a appris, Monsieur Nouveau-Riche s'est mis très en colère. Pour le calmer, Madame Nouveau-Riche lui a dit qu'à Bayreuth, il y avait de la très bonne bière.

Madame Nouveau-Riche reste inquiète pour la suite. Elle vient d'apprendre, avec effroi, que les opéras de Wagner durent plusieurs heures et qu'ils sont tout en allemand.

Le séjour s'est très mal passé. Monsieur Nouveau-Riche a trouvé la bière de Bayreuth trop légère et la musique de Wagner trop lourde.

Depuis le retour de Bayreuth, les Nouveau-Riche ne se parlent plus. L'ambiance est très tendue. Madame Nouveau-Riche fait peur à voir. Elle a maigri, elle a le teint blafard et les yeux rouges.

Madame Pauvre, bon cœur mais maladroite, a voulu la consoler : « L'année prochaine, allez donc à la fête de la Bière, ça vous fera un voyage de noces, vous verrez, ça remettra tout en place. »

Madame Nouveau-Riche a éclaté en sanglots.

Elle est montée dans sa chambre où elle s'est enfermée.

Elle a envie de mourir, comme Isolde.

GAGNER, EN PAUVRE, SE DIT RÊVER

I l y a des hommes et des femmes de tous les pays, de toutes les couleurs. Ils ne sont pas très bien habillés, certains ont l'air fatigués.

Ils font la queue sur le trottoir. Ils sont patients, résignés, on voit qu'ils ont l'habitude d'attendre.

Ils avancent lentement, les uns derrière les autres, ils ne se parlent pas. Certains ont un papier à la main, qu'ils examinent l'air concentré. Parfois, ils regardent en l'air, interrogent le ciel, puis ils écrivent quelque chose sur leur papier. Ils ont un drôle de sourire, comme s'ils souriaient aux anges.

De leur tête, comme dans les bandes dessinées, sortent des bulles avec plein de choses dedans : un téléviseur 16/9ᵉ, un cabriolet BMW, une paire de chaussures neuves, un pavillon avec un jardin, un bateau, une cuisine ultramoderne, un manteau de fourrure, des bouteilles de champagne…

Arrivés à la caisse, ils posent un bulletin sur le comptoir, puis de l'argent. Ils repartent dans la rue, pleins d'espoir.

Monsieur Riche ne joue jamais au Millionnaire.

Il n'en a pas besoin.

Millionnaire, il l'est depuis sa naissance.

ESPÉRER, EN PAUVRE, SE DIT ATTENDRE

C e matin, Madame Pauvre a repassé la chemise blanche de Monsieur Pauvre.

Monsieur Pauvre a rendez-vous avec Monsieur Riche, pour du travail. Il s'est mis en dimanche.

Monsieur Pauvre est arrivé près d'une heure en avance. Il ne s'agit pas de faire attendre Monsieur Riche.

Monsieur Pauvre attend.

Monsieur Pauvre attend partout. Il attend à la Sécurité sociale, il attend au bureau d'aide sociale, il attend à l'hôpital, il attend à l'Agence pour l'emploi, il attend son Smic, il attend ses allocations.

Habitué à attendre, Monsieur Pauvre prend son mal en patience.

Personne ne l'attend.

Dans les salles d'attente, il ne s'ennuie pas. Il regarde autour de lui, il écoute, il guette le numéro d'appel qui clignote, il essaie de deviner la prochaine personne qui va se lever. Il est content quand il a deviné juste. Parfois, il se penche sur le carrelage et il compte le nombre de carreaux sur le sol.

Quand c'est son tour, il apprend que son dossier est en attente.

Monsieur Pauvre attend sa retraite, puis après sa retraite, il attendra que ça passe.

Il ne se révolte pas, il est résigné.

Pourquoi les salles d'attente sont-elles remplies de pauvres, jamais de riches?

Monsieur Riche n'a pas le temps d'attendre, parce que tout le monde l'attend. Il lui faut tout, tout de suite. Quand il regarde sa grosse montre en argent, Monsieur Riche vérifie que le temps, c'est de l'argent.

Quand il regarde son tarif horaire sur sa fiche de paie, Monsieur Pauvre voit que son temps, ce n'est pas beaucoup d'argent. Du temps, il en a à revendre, mais son temps ne vaut rien.

Ce n'est pas grave s'il le perd à attendre.

A la fin de la journée, on prévient Monsieur Pauvre que Monsieur Riche a un empêchement. Il ne viendra pas.

Monsieur Pauvre dit que ce n'est rien. Il reviendra.

Il a le temps.

Personne ne l'attend.

ALLER À LA MESSE, EN PAUVRE, SE DIT ALLER AU BISTROT

Chaque dimanche, Monsieur Riche va à la messe avec ses cinq grands fils. Le plus petit mesure 1 mètre 80. Ils se mettent au premier rang, pour être « Plus près de Toi, mon Dieu ».

Ils sont sympathiques, les cheveux courts, le visage ouvert, le regard franc. Ils connaissent tous les cantiques par cœur, ils les chantent avec beaucoup d'entrain et de ferveur. Dans les moments de recueillement, ils ferment les yeux, ou regardent en l'air, Dieu qui leur sourit.

Monsieur Riche est fier de ses grands fils. Dans cette époque de laisser-aller, ils donnent une belle image de la jeunesse. Ils ont tous des cravates, des vestons foncés et des Weston qui brillent. Ils aident les aveugles et les sourds à traverser la rue. Ils ne fument pas, ils respectent les jeunes filles parmi lesquelles, un jour, ils choisiront la mère de leurs enfants.

Ils sont en bonne santé, les affaires sont florissantes, leurs études brillantes. Ils savent que Dieu est bon, ils sont reconnaissants pour tout ce qu'il a fait pour eux et chaque dimanche, ils lui rendent grâces.

Monsieur Pauvre ne va jamais à l'église. Il est encore un peu communiste, et surtout, il trouve qu'il n'a pas vraiment de raison d'être reconnaissant à Dieu. Puis la messe, c'est pile à l'heure de l'apéro.

Madame Pauvre, qui a un faible pour sainte Rita, va à la messe tous les dimanches. Un fichu sur la tête, elle reste au fond de l'église, près du bénitier, avec les petites gens.

A l'église, les riches sont devant, les pauvres derrière.

A la guerre, c'est le contraire.

CROIRE EN DIEU, EN PAUVRE, SE DIT CROIRE AU PÈRE NOËL

ésus, gosse de riches, ne se rend pas toujours compte des réalités de l'existence.

Il fait parfois des gaffes, il est capable de dire des énormités. C'est lui, par exemple, qui a dit : « Heureux les pauvres, le royaume de Dieu leur appartient. »

En attendant d'être propriétaires du royaume de Dieu, qui va payer le boucher, l'épicier, la cantine des enfants, les vêtements, le dentiste ? demandent en chœur les pauvres.

Quand on lui dit que Dieu est infiniment bon, Monsieur Pauvre demande qu'on répète, il n'a pas bien compris. Monsieur Riche comprend très bien.

Si Monsieur Riche est riche, il l'a voulu, il a fait vœu de richesse.

Si Monsieur Pauvre est pauvre, c'est sans le vouloir, il n'a pas fait vœu de pauvreté.

Lassé de son existence misérable, parfois Monsieur Pauvre est à bout. Il s'adresse au ciel et s'écrie : « Mais qu'est-ce que j'ai fait au bon Dieu ? »

Gêné, sans doute, le bon Dieu ne répond jamais.

Il y a longtemps que Monsieur Pauvre ne croit plus au père Noël. Son âme n'ira pas au ciel. De toute façon, le pauvre n'a certainement pas d'âme.

Heureusement, pense Madame Nouveau-Riche.

Un paradis avec des pauvres, ce ne serait plus le paradis.

PARADIS POUR MILLIARDAIRES, EN PAUVRE, SE DIT CAMPING DE LA PLAGE

Matuvu est une petite île privée du Pacifique. Le propriétaire en a fait une sorte de paradis terrestre pour milliardaires.

Monsieur Nouveau-Riche en parle souvent à Madame Nouveau-Riche. Le rêve de leur vie serait d'y avoir une propriété.

En attendant, ils ont décidé d'y aller, pour voir.

Monsieur et Madame Nouveau-Riche se sont mis sur leur trente et un.

Monsieur porte un costume crème en gabardine, un chapeau de cow-boy blanc, et fume un gros cigare dont la fumée fait tousser Madame qui porte un ensemble veste bermuda avec des fleurs. Pour faire incognito, elle a sur le nez d'énormes lunettes de soleil qui la font ressembler à une mouche.

L'île est entourée de miradors et d'un chapelet d'hommes en armes. Pour entrer, il faut montrer patte blanche et ses papiers.

Monsieur Nouveau-Riche s'est présenté en tant qu'acheteur d'une propriété.

On les fait attendre, longtemps. On leur propose, pour patienter, de faire un petit tour dans l'île.

Monsieur et Madame Nouveau-Riche, émus, saluent respectueusement les rares incognitos qui passent derrière les vitres teintées de leur grandes limousines noires. Les rues sont gaies comme les allées d'un cimetière, il n'y a pas de feuilles par terre, les palmiers semblent en plastique.

Madame Nouveau-Riche marche sur la pointe des pieds, comme si elle avait peur de faire du bruit et de salir. « On pourrait manger par terre », déclare-t-elle. Monsieur apprécie, ici il n'y a ni mouches, ni mendiants.

Le propriétaire les reçoit après quatre heures d'attente. Il est pressé, il ne parle qu'américain, et vite.

Le début de l'entretien commence sur un malentendu. Il les prend pour un couple d'employés de maison, qu'il a engagé ce matin par téléphone. Quand il a enfin compris le but de leur visite, il leur énumère, avec la sensibilité d'un catalogue de vente, les qualités d'une propriété à vendre.

Monsieur Nouveau-Riche fait semblant de comprendre, il acquiesce, dit à tout propos « *Of course* » d'un air entendu.

Un « *Of course* » lui reste dans la gorge quand il découvre sur un papier que lui a tendu le propriétaire, un chiffre suivi d'un nombre énorme de zéros. Il n'ose pas demander si c'est en dollars, en francs ou en euros.

Pour garder bonne contenance, il fait semblant, les yeux au ciel, de calculer dans sa tête. Le propriétaire le regarde, amusé puis agacé.

Enfin, Monsieur Nouveau-Riche déclare qu'il va réfléchir.

Le propriétaire, qui n'est pas dupe, dit OK et prend congé grossièrement. Ils comprennent qu'on les a assez vus à Matuvu.

Sur le pont du bateau qui les ramène, Monsieur et Madame Nouveau-Riche, humiliés et mouillés par les embruns, regardent tristement l'île qui s'éloigne.

Comme Adam et Eve, ils ont l'impression d'avoir été chassés du paradis.

Ils vont pouvoir méditer cette terrible sentence: « On est toujours le pauvre de quelqu'un. »

Une tempête se lève, un coup de vent emporte le chapeau de cow-boy à la mer.

DÉPRESSION, EN PAUVRE, SE DIT SIGNE EXTÉRIEUR DE RICHESSE

Madame Riche est en pleine dépression. Elle si élégante, si soignée, ne se maquille plus, ne se coiffe plus.

Toute la journée, elle traîne en robe de chambre. Allongée sur son lit, elle fume et elle lit. Elle reste même couchée quand Madame Pauvre vient faire la chambre.

Madame Pauvre époussette la table de nuit, elle jette un œil sur les livres de Madame Riche : *Orphelin en Ethiopie, Le Drame de Tchernobyl, Mon Enfance en Tchétchénie, J'ai été éboueur au Bénin…* Rien que du malheur. C'est pas des livres comme ça qui vont la remonter, pense Madame Pauvre qui ne lit que Barbara Cartland.

Madame Pauvre ne comprend pas très bien ce que c'est qu'une dépression, elle n'en a jamais eu. Pour elle, c'est une maladie de riches.

Madame Riche lui a expliqué qu'elle n'a plus de goût à rien, même plus envie de se lever le matin. Elle a ajouté : « Vous ne pouvez pas comprendre, Rose. »

« Bien sûr, Madame, je ne peux pas comprendre », a répondu Rose, un peu agacée. « Moi, tous les matins, à six heures, envie ou pas envie, je me lève. Il y a les petits qui vont à l'école, il faut les laver, les habiller, leur donner le petit déjeuner. Il y a la gamelle de mon mari à préparer. Après, je prends ma Mobylette pour aller au travail. »

« C'est vrai, vous n'avez pas le temps d'avoir des idées noires. Finalement, vous avez de la chance, Rose », soupire Madame Riche.

Madame Pauvre est triste de voir Madame Riche dans cet état, elle voudrait l'aider, la sortir de là, mais elle ne sait pas comment. Elle a bien essayé de lui changer les idées. Pour la distraire, elle lui a parlé de la pauvreté dans le monde.

Quand elle a appris qu'il y avait trois millions de pauvres en France, Madame Riche a dit simplement :

« Plus on est de fous, plus on rit. »

L'année prochaine, Madame Pauvre l'a décidé : si tout va bien, elle s'offrira une petite dépression.

CADEAU, EN PAUVRE, SE DIT RAREMENT

Chaque début d'année, Madame Riche a l'habitude de faire à Madame Pauvre un cadeau. Elle trouve ça plus sympathique que des étrennes.

Madame Pauvre garde précieusement tous ces cadeaux dans l'armoire à glace de sa chambre. Ils remplissent une étagère. Ils sont encore dans leur emballage, Madame Pauvre n'ose pas s'en servir.

De toute façon, ils ne servent à rien.

Il y a là une garniture de bureau, avec un sous-main en cuir. Une paire de serre-livres avec des panthères en bronze, une douzaine de porte-couteaux en cristal, dans leur écrin, une pochette du soir en satin noir avec du strass…

Cette année, Madame Pauvre a reçu une trousse à bijoux de voyage. Madame Riche lui a expliqué que c'est très pratique quand on part en voyage et qu'on ne veut pas s'encombrer d'un coffret à bijoux. Madame Pauvre, qui n'a pas de bijoux et ne part jamais en voyage, a été très contente et très fière, elle a même embrassé Madame Riche.

La trousse est en cuir noir, très souple, l'intérieur est doublé de satin cramoisi. Il y a plein de petites poches. Dans l'une, il y a une surprise.

Une carte gravée, adressée à Madame Riche, avec les vœux de la Barclay's Bank.

SIAMOIS, EN PAUVRE, SE DIT GOUTTIÈRE

Cette année, pour les vacances, Madame Riche a confié Pénélope à Madame Pauvre. Pénélope est une superbe chatte siamoise un peu distante.

Madame Pauvre a un vieux gouttière appelé Pompon.

Au début, pour montrer qu'il est chez lui, Pompon a grondé un peu. Pénélope est restée terrée sous un fauteuil et l'a snobé.

Au moment du repas, Madame Pauvre a fait deux gamelles : des croquettes diététiques « minceur » qui viennent d'Amérique pour Pénélope, et pour Pompon, les restes du repas familial.

Pénélope n'a pas touché à ses croquettes, mais a rôdé autour de la gamelle de Pompon. Rapidement, ils se sont très bien entendus. Grâce à Pénélope, le vieux Pompon a retrouvé ses ardeurs de jeunesse.

A son retour, Madame Riche a trouvé Pénélope complètement transformée. Elle qui était toujours impeccable est maintenant hirsute et sale, elle a une oreille fendue. Elle qui était très distinguée fait maintenant populaire. Elle a pris de mauvaises habitudes, elle fait ses griffes sur les tapisseries des fauteuils du salon.

Plus grave, elle ne touche plus à ses croquettes, elle n'obéit plus à Madame Riche et semble devenue sauvage.

En revanche, chaque fois que Madame Pauvre vient faire le ménage, Pénélope lui fait la fête et se frotte à ses jambes.

Madame Riche en est meurtrie, mais elle a vite compris. Hier, elle a surpris Madame Pauvre sortant de sa poche un petit sac de papier qu'elle a ouvert et qu'elle a posé par terre. Pénélope s'est jetée dessus et a tout mangé.

Indignée, Madame Riche a senti qu'elle devait rapidement mettre le holà. Elle a convoqué Madame Pauvre et lui a parlé gravement : « J'ai surpris votre manège, Rose. Je sais maintenant pourquoi Pénélope ne mange plus ses croquettes. Mettez-vous dans la tête que Pénélope n'est pas votre chatte, mais la mienne. »

Madame Pauvre n'a pas répondu, elle a baissé la tête, penaude.

Il y a quelque chose de bien plus grave que Madame Riche ne sait pas encore. Madame Pauvre se demande comment le lui annoncer.

Pénélope est en cloque.

HEUREUX ÉVÉNEMENT, EN PAUVRE, SE DIT POLICHINELLE DANS LE TIROIR

Normalement, Monsieur Riche fait l'amour avec Madame Riche tandis que Monsieur Pauvre fait l'amour avec Madame Pauvre.

Madame Riche a parfois un coup de chaud pour Monsieur Pauvre, surtout quand il est jeune, beau et qu'il a des gros biscotos.

Monsieur Pauvre a bien vu les sourires de Madame Riche, mais il ne peut pas croire qu'ils sont pour lui. Madame Riche, ce serait un trop beau cadeau. Rien que l'emballage l'impressionne, avec ses dentelles et ses petits boutons-pression précieux. Il n'ose pas l'ouvrir, il n'y arrive pas avec ses gros doigts. Madame Riche l'aide et la voilà toute nue devant Monsieur Pauvre.

Il n'ose pas la toucher, il n'ose pas promener ses doigts sales sur le corps d'albâtre de Madame Riche.

Monsieur Pauvre a peur de se déshabiller. Il a des trous à ses chaussettes. Madame Riche l'encourage. Elle découvre qu'il est fait comme son mari, mais en mieux. Elle souhaite un vrai rapprochement entre les riches et les pauvres. Madame Riche fait du social.

Quand il croise une Mademoiselle Pauvre très jolie et très triste, Monsieur Riche aussi veut faire du social.

Mademoiselle Pauvre n'ose pas se déshabiller, elle se trouve trop maigre, elle a honte de montrer sa lingerie défraîchie où les petites roses brodées sont devenues blanches.

Monsieur Riche est très ému, surtout quand Mademoiselle Pauvre, qui finalement s'est déshabillée, apparaît dans sa blancheur nacrée, belle comme une endive fraîchement cueillie. Monsieur Riche, prêt à tout, lui dit qu'il l'aime. Elle le croit et il écarte les feuilles pour voir son cœur.

Bientôt, Mademoiselle Pauvre grossit. Son vieux père impotent et aveugle ne le voit pas, mais on lui dit.

Alors, il la chasse de la maison.

Quelques mois plus tard, le polichinelle que Monsieur Riche a mis dans le tiroir de Mademoiselle Pauvre, sort. Il pleure.

Mademoiselle Pauvre pleure aussi, Monsieur Riche est retourné avec Madame Riche.

Elle est toute seule avec son polichinelle.

Elle l'a appelé Richard.

En souvenir de Monsieur Riche.

VIE SEXUELLE, EN PAUVRE, SE DIT MASTURBATION

L a vie sexuelle de Monsieur Nouveau-Riche est souvent frénétique. Il faut le voir quand il se prépare pour la parade nuptiale. Monsieur Nouveau-Riche se lave les cheveux avec un shampoing parfumé, il met son blazer avec des boutons dorés et un gros écusson brodé avec ses initiales. Il astique son coupé Mercedes, il parfume l'intérieur avec du vétiver et il part en chasse.

Quand il est en rut, dès qu'il voit passer une Blanche-Neige, Monsieur Nouveau-Riche ne brame pas comme le cerf, il klaxonne avec son Klaxon trois tons.

Monsieur Nouveau-Riche a souvent des bonnes fortunes. Les femmes sont émues par la Mercedes.

Monsieur Pauvre aimerait bien avoir une vie sexuelle frénétique, c'est un chaud lapin. Il n'a pas fait vœu de chasteté, il est chaste par nécessité.

Une fille qui a de la moralité accepte rarement de monter dans sa vieille voiture qui fume et sent le tabac froid, encore moins dans son HLM qui sent la soupe aux poireaux. Monsieur Pauvre n'a pas d'argent pour l'emmener au restaurant.

Quelquefois, il a la chance de rencontrer une jeune fille sensible et charitable qui aime les pauvres et la poésie. Monsieur Pauvre lui cueille alors des fleurs des champs et lui écrit un poème avec des rimes riches.

Ils se marient et ils font une ribambelle de petits pauvres. Plus tard, quand ils n'ont plus de quoi les nourrir, ils sont obligés d'abandonner leurs enfants dans la forêt.

Madame Pauvre qui en a marre de la misère, quitte Monsieur Pauvre et part avec Monsieur Nouveau-Riche, en Mercedes.

PRÉCIEUSE, EN PAUVRE, SE DIT RIDICULE

Hier, Monsieur Nouveau-Riche a fait ses valises, il a quitté le domicile conjugal. Peut-être pour rejoindre Blanche-Neige.

Très élégant, il laisse à Madame Nouveau-Riche la jouissance de la maison et la signature du compte en banque.

Madame Nouveau-Riche a bien réagi, elle a été très digne, elle n'a pas pleuré. De toute façon, depuis le voyage à Bayreuth, leur vie était intenable.

Elle a décidé désormais de vivre sa vie, de renouer avec ses passions adolescentes. Maintenant, en plus de ses réunions Tupperware, elle organise chez elle des soirées poétiques. Chacun vient réciter un poème de son choix. Récemment, elle a organisé un hommage à Sully Prudhomme où elle a, elle-même, récité *Le Cygne* avec beaucoup de sensibilité.

Dernièrement, elle a rencontré la fille d'une de ses amies, qui prépare l'entrée à une école de musique. Madame Nouveau-Riche lui a proposé de venir jouer chez elle pour quelques amis.

Elle a demandé à Madame Pauvre de faire le salon à fond et d'astiquer le piano.

Madame Pauvre a pris grand plaisir à nettoyer le piano. Elle s'est installée sur le tabouret, comme un pianiste, et a passé, une à une, toutes les touches à l'alcool. A la fin, toute émue, elle a joué avec un doigt les premières notes d'*Au clair de la lune* de Beethoven.

Consciencieuse, la petite pianiste a assassiné consciencieusement Mozart en deux heures cinquante.

Madame Nouveau-Riche, qui n'entend rien au piano ni à Mozart, a passé la soirée sous le charme. Les amis, souvent mal assis, ont été stoïques jusqu'au bout. Certains ont sommeillé, mais ils ont applaudi la fin de la prestation avec vigueur et un vrai soulagement.

Madame Nouveau-Riche, très fière de sa jeune recrue, a déclaré qu'elle allait s'occuper de sa carrière et lui a fait promettre de revenir jouer.

Il n'est pas juste que le brave Mozart soit la seule victime.

Il lui en reste encore plein d'autres à assassiner : Beethoven, Schubert, Schumann, Brahms…

MUSIQUE D'AMBIANCE,
EN PAUVRE, SE DIT BRUIT

L e pauvre est très sonore.

Le matin, il crache. A midi, il rote. La nuit, il ronfle et il pète.

Monsieur Pauvre parle plus fort que Monsieur Riche.

Monsieur Pauvre rit plus fort que Monsieur Riche.

Les enfants de Monsieur Pauvre crient plus fort que les enfants de Monsieur Riche.

Le chien de Monsieur Pauvre aboie plus que le chien de Monsieur Riche.

La voiture de Monsieur Pauvre fait plus de bruit que celle de Monsieur Riche.

Quand Monsieur Riche écoute les suites pour violoncelle de Jean-Sébastien Bach, il ferme soigneusement les fenêtres et les portes de son salon. Monsieur Riche n'aime pas partager. Il veut Jean-Sébastien Bach pour lui tout seul.

Monsieur Pauvre est, au contraire, très partageur. Il écoute Yvette Horner la fenêtre grande ouverte.

Les enfants de Monsieur Pauvre suivent l'exemple. En voiture, ils laissent les vitres baissées. Il faut qu'il y ait du rab de rap pour tout le monde.

Quand les pauvres sont heureux, ils manifestent leur joie en faisant du bruit. Quand ils se marient, ils traversent la ville avec leurs vieilles voitures décorées de tulle et ils klaxonnent.

Madame Nouveau-Riche a remarqué que ce sont plus souvent les pauvres qui utilisent le marteau piqueur pour travailler. Ce sont plus souvent les pauvres qui habitent près des aéroports. Elle en a conclu que le pauvre aime le bruit.

Pour vivre ensemble en bonne harmonie, elle ne voit qu'une solution : insonoriser les pauvres.

INVITATION, EN PAUVRE,
SE DIT CONVOCATION

Chaque matin, Madame Pauvre adore ouvrir sa boîte aux lettres à cause de toutes les publicités en couleurs. Il y a toujours des surprises et des cadeaux. Elle les lit toutes et elle découpe soigneusement les bons d'achat. Aujourd'hui, à l'occasion de la semaine alsacienne, le supermarché lui offre un bon de 1 euro, à valoir sur l'achat de deux boîtes de choucroute.

Autre surprise, elle a été sélectionnée pour le grand jeu-concours. Si le numéro inscrit sur le bon est tiré au sort, elle peut gagner un week-end à Strasbourg. Sur le bon, il y a une photo en couleurs de la cathédrale de Strasbourg.

Madame Pauvre se met à rêver. Elle est habillée en Alsacienne avec une coiffe. Très haut dans le ciel, sur le clocher de la cathédrale, elle regarde la ville à ses pieds, elle donne du pain à des cigognes qui volent autour d'elle et qui lui disent *Danke schön*.

Le même jour, dans sa boîte, Madame Riche a trouvé une lettre de Boston, de son fils Richard qui fait un stage au Massachusetts Institute of Technology.

Et, comme d'habitude, des invitations.

Elle est invitée à venir essayer le nouveau cabriolet Mercedes. Elle est invitée au vernissage d'une exposition des dessins de Balthus. Elle est invitée à un défilé de mode.

Au fond de sa boîte aux lettres, Madame Pauvre aussi a une invitation.

Elle est invitée à se présenter au commissariat avec son fils Kévin, pour une affaire le concernant.

VOLER UN BŒUF, EN PAUVRE, SE DIT VOLER UN ŒUF

Monsieur Riche et Monsieur Pauvre sont voleurs, comme tout le monde, mais chacun à sa façon et suivant ses moyens.

Quand Monsieur Pauvre vole un œuf, Monsieur Riche vole un bœuf.

Monsieur Pauvre vole un œuf, parce qu'il a faim et qu'« il est terrible le petit bruit de l'œuf dur sur un comptoir, pour l'homme qui a faim* ». Monsieur Riche vole un bœuf, pas parce qu'il a faim, pour le revendre.

Monsieur Pauvre ne prend pas de risques, un œuf, on peut le mettre dans sa poche et on part, ni vu ni connu. Un bœuf, c'est plus difficile.

---

* Merci, monsieur Prévert.

Quelqu'un qui veut réussir dans la vie commence par voler un œuf pour s'entraîner, puis, plus tard, vole un bœuf. Mais Monsieur Pauvre n'a pas d'ambition, il en reste à l'œuf. Monsieur Pauvre est un gagne-petit.

Monsieur Riche a plus d'envergure. Après le bœuf, il vole le troupeau. C'est un gagne-gros.

Son forfait fait, Monsieur Pauvre se fait souvent piquer. Il n'a pas la façon. Le riche est plus malin, et il a de bons avocats qu'il paie très cher.

Mais Monsieur Riche, qui n'en a jamais assez, continue à piquer, jusqu'à se faire piquer. Il se retrouve en prison avec Monsieur Pauvre.

Quand Monsieur Riche est en prison, on dit : « Papa est en voyage d'affaires » ; quand Monsieur Pauvre est en prison, on dit : « Papa est en prison. »

Monsieur Pauvre et Monsieur Riche jouent aux cartes ensemble. C'est toujours Monsieur Riche qui gagne.

Pas parce qu'il sait mieux jouer.

Parce qu'il sait mieux tricher.

MERCEDES NOIRE, EN PAUVRE, SE DIT CARTE ORANGE

Monsieur Riche vient de se faire arrêter par des Messieurs Pauvre en uniforme. Il roulait à 110 kilomètres à l'heure sur une route départementale.

Les gendarmes lui demandent ses papiers. Monsieur Riche s'exécute, il reconnaît qu'il roulait un peu vite, mais sa Mercedes est équipée pour la vitesse. Il a un ABS, un EPS, un PSM, une suspension active ABC et un régulateur de vitesse et de distance intelligent pour deux. Enfin, toute une technologie qui lui permet de faire le con sur la route, sans risques.

Il fait remarquer aux gendarmes qu'on est plus dangereux en roulant lentement avec une voiture de petite cylindrée qu'en roulant vite avec une Mercedes.

Les gendarmes, qui ont des voitures de petite cylindrée, ne semblent pas l'entendre. L'un d'eux commence à rédiger le procès-verbal.

Monsieur Riche propose un gros chèque pour les orphelins de la gendarmerie.

Le gendarme prend le chèque, remercie Monsieur Riche de la part des orphelins, et continue à rédiger le procès-verbal.

Monsieur Riche parle alors de ses amis haut placés. Il a un beau-frère député…

Le gendarme continue à écrire.

Monsieur Riche ronge son frein. Il se sent obligé d'être poli avec des gens qui gagnent moins bien leur vie que lui.

Il a un fort sentiment d'injustice, la révolte gronde en lui. Il a envie de leur dire, à ces pauvres en uniforme, qu'il gagne au moins dix fois plus qu'eux.

Enfin, il se raisonne, il signe le procès-verbal, il reconnaît les faits. Il ne dit plus rien. Il part, écœuré.

Si les riches sont punis comme tout le monde, c'est à vous dégoûter d'être riche.

CERRUTI, EN PAUVRE, SE DIT TATI

Le ministre du Commerce, en personne, va remettre la Légion d'honneur à Monsieur Riche.

Il faut envoyer les invitations, n'oublier personne. C'est un surcroît de travail pour Madame Riche.

Elle s'est fait aider par Madame Pauvre pour coller les enveloppes. En échange, elle lui a donné une invitation. C'était plus sympathique que de lui payer des heures supplémentaires.

Madame Pauvre a été très contente et très flattée, mais en même temps inquiète.

Qu'est-ce qu'elle va se mettre?

Il s'agit de faire honneur à Monsieur Riche.

Elle a hésité longtemps.

Finalement, elle a trouvé ce qu'elle voulait chez Tati. Un tailleur un peu serré mais très couture, et un chapeau taupé, très chic.

Une amie de sa corpulence lui prête un corsage, des souliers et un sac couleur assortie.

La réception a lieu dans les salons du ministère. Il y a beaucoup de monde, il fait très chaud. Dans son tailleur polyamide, 10 % mohair, Madame Pauvre suc. Elle regarde les lustres de cristal, les rideaux en velours, les lambris dorés. Elle calcule dans sa tête le nombre d'heures de ménage pour faire une pièce comme celle-là.

Le ministre prononce un discours très émouvant. Quand il dit tout le bien qu'il pense de Monsieur Riche, de son courage, de son honnêteté et de sa grande simplicité, Madame Pauvre écrase une petite larme.

Monsieur Riche, ému, remercie le ministre. Madame Pauvre, chagrinée, croit remarquer un faux pli sur le col de sa chemise qu'elle a repassée ce matin.

Tout le monde est très gentil avec elle, on lui offre même du champagne. Elle est tellement émue qu'elle avale de travers, on doit lui taper dans le dos.

D'habitude, personne ne la remarque. Aujourd'hui, tout le monde la regarde avec un grand sourire.

Au milieu de toutes ces personnes en sombre, Madame Pauvre fait une grosse tache rose.

INDEMNITÉ DE DÉPART, EN PAUVRE, SE DIT INDEMNITÉ DE LICENCIEMENT

Quand Monsieur Pauvre apprend par le journal le montant de l'indemnité de départ de Monsieur Riche, il se retrouve le cul par terre. Le chiffre est astronomique. Il ressemble à celui dont on se sert habituellement pour mesurer la distance des étoiles à la Terre. Il sait bien qu'ils ne vivent pas sur la même planète, mais quand même.

L'indemnité de Monsieur Riche correspond à mille fois son indemnité de licenciement à lui.

Il sait bien qu'il ne vaut pas grand-chose, qu'il vaut beaucoup moins que Monsieur Riche. Mais mille fois moins, ça lui paraît beaucoup, surtout que ce n'est pas lui qui a mis la boîte en faillite.

Monsieur Pauvre découvre qu'avec son indemnité, Monsieur Riche va pouvoir s'acheter cinq cents Mercedes ou bien cent maisons.

Qu'est-ce que Monsieur Riche va faire de tout cet argent? Il a déjà plusieurs voitures et plusieurs maisons. Monsieur Pauvre, avec son indemnité, n'a même pas assez pour rembourser l'emprunt de sa maison.

Madame Riche dit à Madame Pauvre: « Maintenant que mon mari est au chômage, il va bien falloir qu'on y arrive. » Madame Pauvre, qui connaît le montant de l'indemnité, croit qu'elle dit ça pour rire, mais comme elle n'est pas sûre, elle n'ose pas rire.

La vieille Madame Riche, la mère de Monsieur Riche, est très fâchée. On parle de son fils dans les journaux, on n'en dit pas de bien.

Dans un article intitulé « Après moi, le déluge… », un journaliste a même écrit que c'était un voyou.

Ça l'a révoltée, elle s'est senti visée personnellement.

Non, Xavier n'est pas un voyou, c'est quelqu'un de très bien élevé. Quand il était petit, elle lui a appris à toujours penser aux autres avant de penser à lui. Elle se souvient, quand il avait cinq ans, il a cassé sa tirelire pour donner l'argent aux petits Chinois. A table, quand il y a deux morceaux, un gros et un petit, il prend toujours le petit et laisse le gros à l'autre.

Elle s'est consolée en pensant que les journalistes sont toujours un peu communistes.

PLAN SOCIAL, EN PAUVRE, SE DIT FIN DES HARICOTS

Monsieur Riche a été engagé rapidement dans une nouvelle société avec un très gros salaire. Il est chargé de mettre en œuvre l'application d'un nouveau plan social.

Sa mission est délicate.

Ce n'est pas drôle de devoir annoncer à Monsieur Pauvre que cette année, les promesses d'augmentation ne seront pas tenues.

Ce n'est pas drôle de devoir annoncer à Monsieur Pauvre qu'on va le licencier en essayant de lui donner le moins possible.

Madame Riche, qui connaît par cœur son mari, analyse très bien la situation. Elle sait que si Monsieur Riche était un cynique et avait un cœur de pierre, les choses seraient plus simples. Il remplirait sa fonction sans états d'âme et se serait contenté d'un salaire modeste.

Si Monsieur Riche a exigé un très gros salaire, c'est justement parce qu'il a des valeurs morales et un vrai souci d'autrui. Ça lui arrache le cœur de causer de la peine à Monsieur Pauvre. Il ne veut pas le faire pour rien.

Madame Riche est très présente dans ces moments-là. Pour lui changer les idées, elle organise des petits dîners, des soirées avec des amis intimes, des week-ends en amoureux. La semaine derrière, ils sont allés à Moscou.

Malgré ses efforts, Monsieur Riche reste soucieux. C'est dur pour elle. Parfois, elle en vient presque à souhaiter que son mari soit un homme sans cœur.

Mais l'aimerait-elle autant?

Si elle l'aime, c'est justement parce qu'il est trop bon.

INFARCTUS, EN PAUVRE, SE DIT INFRACTUS

Madame Pauvre ne viendra pas ce matin. Elle a téléphoné à Madame Riche pour la prévenir qu'elle était à l'hôpital: son mari a eu un « infractus » cette nuit.

Madame Riche a été contrariée d'apprendre qu'elle allait devoir se passer de femme de ménage. Elle lui a quand même dit: « Ma pauvre… »

Madame Riche n'a été qu'à moitié étonnée de l'accident cardiaque de Monsieur Pauvre. Il fume, il boit, il ne fait pas de sport. « Le tiercé gagnant », comme dit Monsieur Riche.

Madame Riche pense avec émotion à son beau mari, mince et bronzé. Elle imagine l'intérieur de son beau mari.

Tout est net et bien rangé, comme dans une charcuterie fine. Tous les produits sont frais. Le foie est d'un beau rouge franc, l'estomac rose nacré. Le cœur, d'un joli beige rosé, bat lentement, avec régularité. Toute cette belle machine fonctionne admirablement dans le silence, comme le gros chronographe suisse que Monsieur Riche porte à son poignet.

Il a une telle hygiène de vie qu'il ne peut rien lui arriver. Comme son chronographe, Monsieur Riche est garanti à vie.

Le jour où on a téléphoné à Madame Riche depuis l'usine pour lui dire que son mari avait eu un « infractus », elle n'a rien dit. Elle a simplement fait remarquer :

« On ne dit pas infractus, mais infarctus. »

ACAJOU, EN PAUVRE,
SE DIT SAPIN

Monsieur Riche et Monsieur Pauvre sont biodégradables mais ils n'ont pas la même date de péremption.

Monsieur Riche vit dix ans de plus que Monsieur Pauvre.

Monsieur Riche et Monsieur Pauvre n'ont pas la même réaction devant le mot « mort ».

Pour Monsieur Pauvre, mort est un mot abstrait ; il ne cherche pas à comprendre, il est comme devant un Picasso.

Sa vie n'étant pas drôle, Monsieur Pauvre se résigne. Il n'est pas toujours mécontent quand ça s'arrête, il va pouvoir enfin se reposer.

Monsieur Riche trouve normale la mort de Monsieur Pauvre, mais pas la sienne. Lui, il n'a aucune raison de mourir. Son congélateur est plein, sa cave à vins est remplie, son compte en banque est bourré. Il a de quoi vivre jusqu'à la fin du monde. De toute façon, il est immortel. Il continuera à vivre, dans un cadre doré accroché au mur du salon, à côté de ses ancêtres.

Il va laisser à ses grands fils de quoi se consoler de son décès : une entreprise florissante, une chasse en Sologne, un château en Touraine, un vignoble en Bourgogne, un appartement à New York, un hôtel particulier à Paris.

Monsieur Pauvre va laisser un camping car en panne et un home cinéma pas fini d'être payé.

Quand Monsieur Pauvre tousse, ça sent le sapin.

Quand Monsieur Riche tousse, ça sent l'acajou.

Le mot de la fin de Monsieur Riche, c'est : « Déjà... »

Le mot de la fin de Monsieur Pauvre, c'est : « Ouf... »

Quand Monsieur Riche meurt, on dépose sa dépouille funèbre dans une boîte en acajou.

Quand Monsieur Pauvre meurt, on met ses restes dans une boîte en sapin.

A l'enterrement de Monsieur Riche, on pleure dans des mouchoirs en soie.

A l'enterrement de Monsieur Pauvre, on pleure dans ses doigts.

MERDE, EN PAUVRE,
SE DIT MERDE

Les rares mots que les riches et les pauvres ont en commun, ce sont les gros mots.

C'est avec ces mots-là que Monsieur Riche et Monsieur Pauvre s'entretiennent le plus couramment, même sans avoir été présentés l'un à l'autre.

Avec ces mots-là, les hommes retrouvent, au-delà des clivages sociaux, leur nature profonde.

Le verbe du premier groupe « enculer » rapproche le riche et le pauvre.

Monsieur et Madame Riche
vous prient de bien vouloir les excuser
de prendre congé.

Monsieur et Madame Nouveau-Riche
vous disent : « Au plaisir. »

Monsieur et Madame Pauvre
vous disent : « À la revoyure ! »

Table des matières

Conception graphique : Gourtay

Achevé d'imprimer en février 2007 en Espagne par
LIBERDUPLEX
Sant Llorenç d'Hortons (08791)
Dépôt légal 1re publication : septembre 2006
Numéro d'éditeur : 84005
Edition 02 - février 2007
Librairie Générale Française – 31, rue de Fleurus – 75278 Paris Cedex 06

31/1084/8